Liebe Eltern,

lesen zu lernen ist für Ihr Kind ein großer und wichtiger Schritt. Unterstützen Sie es dabei, indem Sie ihm regelmäßig vorlesen – von klein auf bis nach der Einschulung, am besten 15 Minuten am Tag. Beim Vorlesen spüren und genießen kleine und größere Kinder Vertrauen und Geborgenheit. Machen Sie sich gemeinsam diese Freude!

Wenn Ihr Kind in der Schule die ersten Buchstaben lernt und anfängt, selbst zu lesen, probieren Sie es doch mal gemeinsam: Übernehmen Sie längere und Ihr Kind einfache Passagen! Sie tauchen gemeinsam in spannende Geschichten ein. Ihr Kind lernt die Welt kennen und erweitert seinen Wortschatz. So steigt die Motivation, immer wieder und bald auch allein zu lesen.

Wir wünschen Ihnen und Ihrem Kind viel Spaß beim Lesen!

Ihre

Weitere Lese- und Medientipps gibt es auf www.stiftunglesen.de

Leselöwen

Tiergeschichten

2. Klasse

Texte:
Annette Moser und Sabine Zett

Illustrationen:
Carola Sturm und Elli Bruder

Dieses Buch gehört:

_ _ _ _ _ _ _ _ _ _ _ _ _

© Genehmigte Sonderausgabe für Ullmann Medien GmbH,
Rolandsecker Weg 30, D-53619 Rheinbreitbach

Gesamtherstellung: Ullmann Medien GmbH, Rheinbreitbach

© der Originalausgaben: Loewe Verlag GmbH, Bindlach

Texte: Annette Moser (Geschichten 1–5) und Sabine Zett (Geschichten 6–8)
Illustrationen: Carola Sturm (Geschichten 1–5) und Elli Bruder (Geschichten 6–8)
Covergestaltung: Simone Speth unter Verwendung eines Motivs von Carola Sturm
Gestaltung Leseurkunde: Simone Speth unter Verwendung eines Motivs von Elli Bruder

Inhalt

Spinnen-Agenten im Einsatz

Die Lehrerin der 2b
hat eine Überraschung dabei.
„Frau Schneider, was ist denn
in der Pappschachtel?",
fragt Sophie neugierig.
„Kommt alle nach vorne,
dann zeige ich es euch!"

Die Klasse schart sich ums Pult.
„Iiiih, eine Spinne!",
kreischen die meisten.
„Die ist doch cool!", sagt Moritz.
„Finde ich auch!", meint Flo.
„Spinnen sind klug und nützlich",
erklärt Frau Schneider.
„Ihre Netze sind Kunstwerke.
Und sie fressen Schädlinge!"

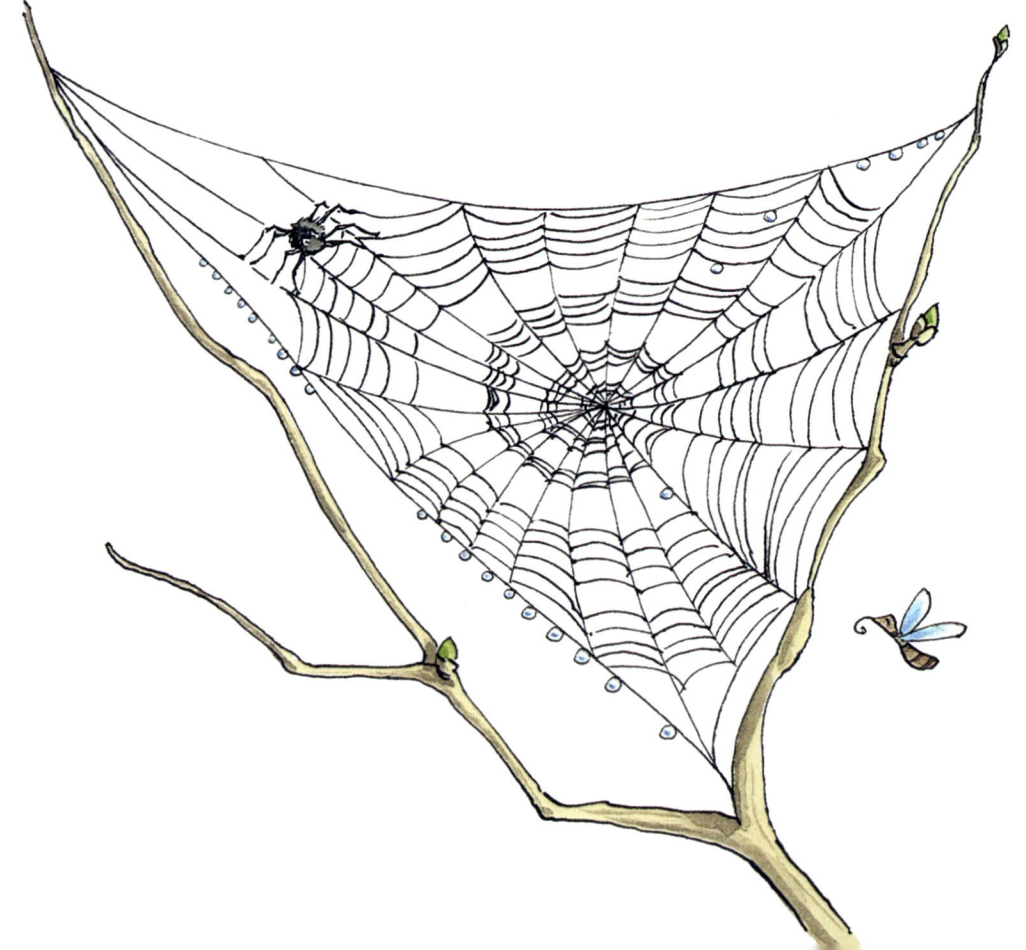

Sophie rümpft die Nase.
„Ich hasse sie trotzdem", sagt sie.
„Wenn ich zu Hause eine sehe,
rufe ich sofort meine Mama.
Die tötet sie dann!"
Flo schüttelt den Kopf.
„Bestimmt sterben täglich
Hunderte von Spinnen.
Nur weil sich die Leute
vor ihnen ekeln!"

Am Nachmittag haben
Flo und Moritz eine Idee!
Auf zwanzig Zettel schreiben sie:
„Spinnen-Agenten im Einsatz!
Wer ekelt sich vor Spinnen?
Wir helfen schnell!"
Darunter schreiben sie
ihre Telefonnummern.

Die Freunde hängen die Zettel
in der ganzen Nachbarschaft auf.
Schon nach zwei Stunden
meldet sich eine Frau.
„In meinem Keller
sitzt eine Riesenspinne!",
sagt sie mit zitternder Stimme.
Moritz und Flo rasen los.

SPINNEN-
AGENTEN
im
EINSATZ!
Tel. 0612/2250
Tel. 0612/4786

Sie fangen die Spinne in einem Glas
und setzen sie draußen aus.
„Ihr habt mich gerettet, Jungs!",
seufzt die Frau erleichtert.
Moritz kichert:
„Und die Spinne auch."
Zur Belohnung gibt die Frau
den Jungen drei Euro.

Nach einer Woche haben sie
schon neun Spinnen gerettet
und 22 Euro verdient.
„Echt verrückt, dass uns
die Leute so viel schenken",
sagt Moritz verwundert zu Flo.
„Stimmt", antwortet Flo und grinst.
„Aber praktisch ist es trotzdem.
Spinnenretten macht Spaß
und nebenbei werden wir
auch noch steinreich."

Die Hühner von nebenan

„Kikerikiiii!", kräht es
Sonntagmorgen um sechs.
Maja blinzelt.
„Dieses Mistvieh!", schimpft Papa.
Aber Maja mag den Gockel Gustav.
Er und seine vier Hühner
wohnen nebenan
in Frau Martins Garten.

„Bist du nicht oft einsam?",
hat Maja die alte Frau
einmal gefragt.
„Du hast ja gar keine Familie!"
Aber da hat Frau Martin gelacht.
„Gustav und die Hühner
sind doch meine Familie",
hat sie geantwortet.

Eines Tages hat Frau Martin
Krücken und ein Gipsbein.
„Was ist passiert?", fragt Maja.
Frau Martin seufzt:
„Ich bin ausgerutscht
und habe mir ein Bein gebrochen!"
Maja sieht sich um.
„Und wo sind die Hühner?"

Frau Martin lächelt traurig.
„Ein Mann vom Geflügelhof
hat sie abgeholt", erzählt sie.
„Mit meinem Gipsbein
kann ich mich nicht mehr
um die Tiere kümmern."
Am nächsten Morgen wird Maja
von Papas Schimpfen wach.
„Mist, schon halb acht!
Warum hat der dumme Gockel
denn nicht gekräht?"

Maja wühlt sich aus dem Bett.
„Frau Martin musste die Hühner
an den Geflügelhof verkaufen",
hört sie Mama murmeln.
„Bestimmt haben sie dort
nicht mehr lange zu leben!"
Maja stürzt ins Schlafzimmer.
„Gustav und die Hühner
dürfen nicht sterben!", ruft sie.
„Sie sind Frau Martins Familie!
Wir müssen sie retten!"

Papa blinzelt verdutzt.
„Und wie soll das gehen?"
Maja hat schon eine Idee.
„Wir holen sie zurück
und kümmern uns um sie,
bis es Frau Martin besser geht."
Majas Eltern sehen sich an.
„Ich weiß nicht", brummt Papa.

Aber am Nachmittag fahren sie
tatsächlich zum Geflügelhof.
„Nein, so was!", ruft Frau Martin,
als Maja die Tiere zurückbringt.
Dann muss sie vor Glück weinen.
Gustav und die Hühner wohnen
in ihrem alten Zuhause.
Aber von nun an kümmern sich
Maja und ihre Eltern um sie.

Zur Belohnung gibt es
jeden Tag frische Eier.
Und wenn Papa mal wieder
über Gustav schimpft, sagt Maja:
„Sei froh, dass er dich weckt.
Oder willst du vielleicht
zu spät zur Arbeit kommen?"

Der Fledermaus-Schuppen

„Raus hier,
das ist kein Spielplatz!",
poltert Bauer Riedel wütend.
Michel, Jan und Ben kommen
aus dem alten Schuppen.
„Jetzt habe ich aber genug!",
schimpft der Bauer weiter.
„Nächste Woche reiße ich
die Bruchbude ab! Basta!"
Die drei Freunde erschrecken.

„Und die Fledermäuse?", fragt Ben.

Aber Bauer Riedel antwortet nicht.

Die Jungs schlurfen davon.

Sie lieben den alten Schuppen.

Dort ist es ganz dunkel.

Der perfekte Ort
zum Versteckenspielen.

Das Beste an dem alten Schuppen
sind aber die Fledermäuse,
die in dem morschen Gebälk leben.
Leider gehört der Schuppen
dem mürrischen Bauer Riedel.
Der mag keine Kinder.
Und Fledermäuse sind ihm egal.
„Wartet mal!", ruft Ben plötzlich.
„Ich glaube, ich habe eine Idee!"

Am nächsten Nachmittag
sind die Freunde
mit einem Tierschützer verabredet.
Sie führen ihn zum Schuppen.
„Nicht zu fassen!",
sagt der Mann begeistert.
„Hier wimmelt es ja
von Fledermäusen."

Da stapft Bauer Riedel heran.
Bevor er losschimpfen kann,
ruft der Tierschützer erfreut:
„Ach, Sie müssen Herr Riedel sein.
Die Jungs haben mir schon viel
von Ihnen erzählt."
Bauer Riedel stutzt.
„Toll, dass Sie in Ihrem Schuppen
Fledermäuse nisten lassen",
fährt der Mann fort.

„Die wenigsten wissen,
dass die Tiere gefährdet sind!"
Bauer Riedel räuspert sich.
„Nun ja, äh ... man tut, äh ...
was man kann", stammelt er.
Der Tierschützer nickt.
„Ich werde einen Artikel
über Sie schreiben", verspricht er.

„Und wenn Sie erlauben,
würde ich Ihre Fledermäuse
in Zukunft gerne beobachten!"
Michel drängt sich vor.
„Klar erlaubt er das!", ruft er.
Bauer Riedel wird ganz bleich.
Aber er traut sich nicht
zu protestieren.

Einige Tage später
ist ein Bild in der Zeitung
mit der Überschrift:
„Fledermaus-Schuppen!".
Die Jungs grinsen in die Kamera.
Bauer Riedel guckt zerknirscht.
Aber das kann man nur erkennen,
wenn man ganz genau hinsieht.

Tante Mäuseschreck

Svens und Tanjas Eltern
fahren übers Wochenende weg.
Solange sollen die Geschwister
zu ihrer Tante Marta.
„Ihr seid unpünktlich!",
meckert Tante Marta
zur Begrüßung.

Die Kinder verdrehen die Augen.
Das ist typisch Tante Marta.
„Huch, was war das?", fragt Tanja.
„Eine Maus!", ruft Sven lachend.
Ratzfatz rennt die Maus
durch den Flur ins Wohnzimmer.
Sie flitzt übers Parkett
und verschwindet unterm Schrank.

Tante Marta holt einen Besen,
um sie hervorzujagen.
„Ich glaube, die kriegst du nicht",
sagt Tanja kichernd.
„Das werden wir ja sehen!",
knurrt Tante Marta.
Mürrisch stapft sie in den Keller
und holt eine Mausefalle.
Sie legt ein Stück Käse hinein
und stellt sie unter den Schrank.

„Arme Maus", flüstert Tanja.
Als Tante Marta weg ist,
raunt Sven:
„Komm, Tanja!
Wir retten die Maus
vor Tante Mäuseschreck!"
Leise gehen sie ins Wohnzimmer.
Die Maus sitzt auf dem Teppich.
„Los, mach die Terrassentür auf!",
flüstert Tanja ihrem Bruder zu.

Knarz!, macht die Tür.
Da erschrickt die Maus
und springt
hinter die Gardine.
Tanja schüttelt daran.
Ratsch! Der Vorhang zerreißt.
Die Maus flitzt über den Tisch.
„Die Sofapolster!", schreit Sven.

Er und Tanja werfen sie
auf den Boden und bauen damit
einen Gang zur Terrassentür.
Krach! Dabei fällt die Vase um.
Wie ein Pfeil schießt die Maus
durch das Wasser
und über den weißen Teppich.
Überall hinterlässt sie Tapser.

„Komm, kleine Maus!", ruft Tanja.
Sie und Sven werfen mit Kissen
und scheuchen das Tier
in den Polstergang.
„Juhuuuu!", jubeln beide,
als die Maus ins Freie flitzt.
Plötzlich steht Tante Marta
im Zimmer.

„Uaaaaaah!", schreit sie
und schnappt nach Luft.
„Die Maus ist weg!",
erklärt Tanja zufrieden.
Aber Tante Marta
freut sich trotzdem nicht.
Nur die Kinder.
Ihre Eltern holen sie nämlich ab
und sie müssen nie wieder
bei Tante Marta übernachten.

Caretta Caretta

Luisa und ihre Eltern
machen Urlaub auf Kreta.
Heute fahren sie an eine
abgelegene Bucht.
Plötzlich entdeckt Luisa etwas.
Überall im Sand stecken
kleine Käfige aus Draht.

Vorsichtig klopft Luisa
mit ihrer Schaufel daran.
„Stopp, stopp!", ruft da jemand.
Erschrocken dreht sich Luisa um.
Ein Mann und eine Frau
in gelben T-Shirts rennen herbei.
„Caretta Caretta!", schreien sie.
Dabei fuchteln sie mit den Armen.

„Hä?", macht Luisa verdattert.
Zum Glück kann Papa
sich mit ihnen
auf Englisch unterhalten.
„Was ist denn?", will Mama wissen.
„Tja, diese Bucht wird
für andere Gäste frei gehalten",
erklärt Papa.
„Wir müssen woandershin!"

Luisa ist empört.
„Wer bucht denn
einen ganzen Strand für sich?"
Enttäuscht packt sie
ihr Sandspielzeug ein.
Am nächsten Morgen weckt Papa
Luisa ganz früh.
„Ich habe eine Überraschung",
flüstert er geheimnisvoll.

Papa fährt mit ihr und Mama
zu der abgelegenen Bucht.
„Sind die anderen Gäste nun weg?“,
murmelt Luisa verschlafen.
Der Mann und die Frau
mit den gelben T-Shirts
sind auch wieder am Strand.
Dieses Mal winken sie freundlich.

Da reißt Luisa die Augen auf.
Hunderte winzige Schildkröten
krabbeln durch den Sand ins Meer.
„Caretta Caretta sind
Meeresschildkröten", erklärt Papa.
„Sie verbuddeln ihre Eier im Sand.
Die Drahtkäfige haben sie
vor Hunden geschützt.
Heute Nacht
sind die Babys geschlüpft."

Luisa staunt.
Der Mann und die Frau
sind Tierschützer.
Ihre Augen glänzen vor Freude.
Jetzt weiß Luisa, für wen sie
den Strand frei gehalten haben.
„Caretta Caretta", sagt sie
und deutet zum Strand.
Die beiden nicken
und strahlen Luisa an.

Das beste Spiel aller Zeiten

Jeden Abend langweilen sich
die Tiere auf dem Bauernhof.
„Es ist noch gar nicht dunkel
und auf der Wiese ist nichts
mehr los!", beschwert sich
die Kuh. „Ich will Spaß!"

Das Schaf hebt den Kopf hoch
und nickt. „Ja, mir ist auch
so langweilig!"
Es gähnt und schüttelt sein
Fell. „Immer nur essen,
stehen, gehen, essen, stehen,
gehen, essen, stehen ...“

„Schon gut, wir haben
verstanden!", meckert ihn
die Ziege an. „Aber es stimmt.
So geht es mir auch."
Sie sieht ihre Freunde an.
„Leute, es muss
etwas passieren!"

Aus dem Stall stolziert
der Hahn und kräht laut.
„So eine Unverschämtheit!
Die Hühner spielen gerade
Tier ärgere dich nicht,
aber sie lassen mich
nicht mitspielen."

Gute Idee! Sie würden auch
ein Spiel zusammen spielen!
Aber welches? Alle reden
sofort durcheinander und
wollen die anderen übertönen.
Jeder glaubt, die beste
Spielidee zu haben.

Die Kuh entdeckt einen Ball,
der unter dem Apfelbaum liegt.
„Fußball! Wir spielen Fußball!
Ich bin Stürmerin
und schieße ein Tor!"
Sie rennt drauflos.

Das Schaf überholt die Kuh und
die fordert einen Elfmeter.
Die Ziege meckert, weil sie
den Ball nicht bekommt, und
der Hahn kräht dazwischen:
„Lasst uns Verstecken spielen!"

Der Hahn beginnt,
bis zehn zu zählen.
Also lassen die Freunde
den Ball liegen
und laufen ganz schnell
hinter einen Baum.

„Rennen gefällt mir besser!
Lasst uns Fangen spielen!",
ruft die Ziege und vergisst,
sich zu verstecken.
Sie läuft auf ihre Freunde zu
und schnappt einen
nach dem anderen.

Die Kuh und der Hahn schimpfen,
aber die Ziege
ist nicht zu bremsen.
Da kommt ein Esel
auf die Wiese. „Ihr spielt ja
ein cooles Spiel!
Darf ich mitmachen?"

Die Tiere wundern sich.
„Cooles Spiel? Welches meinst
du denn?
Wir sind uns noch gar nicht
richtig einig!"

Der Esel schüttelt den Kopf.
„Ich habe es genau gesehen!
Ihr spielt Fuß-Fang-Versteck!"
Die Freunde lachen. „Stimmt.
Und bei diesem Spiel ist
für jeden etwas dabei!"

Helden auf vier Pfoten

Melissa und Adrian gehen
mit ihren Hunden spazieren.
Auf der Wiese lassen sie Lucy
und Kimba von der Leine los.
Der kleine Mischling und der
Labrador toben über die Wiese
bis zum angrenzenden Wald.

Da läuft eine Entenfamilie
quer über das Gras.
Die Mama vorneweg und hinter ihr
watscheln sieben kleine Küken.
„Sie wollen zum Bach",
sagt Melissa.
„Lucy! Kimba! Bei Fuß!"

Aber die Hunde gehorchen nicht!
Sie spitzen die Ohren und
verschwinden im Gebüsch.
„Sie sind noch nie weggelaufen!"
Die beiden Freunde
sehen sich erschrocken an.
„Hinterher!"

Im Gebüsch sind die Hunde
nicht mehr, stattdessen hören
Melissa und Adrian
ein Motorgeräusch,
das immer näher kommt.
Ein Traktor fährt
auf die Wiese!

Der Mann am Steuer
sieht die Entenfamilie nicht.
„Er wird die Küken überfahren!
Wir müssen ihn irgendwie
stoppen!", ruft Adrian.

Da ertönt lautes Gebell.
Lucy und Kimba
kommen angerannt.
Sie stürmen vor den Traktor,
springen wild umher
und bellen lautstark.

Der Bauer bremst stark ab und
bleibt dann stehen. „Was ist
denn hier los?", fragt er.
Die Hunde hören auf zu bellen.
Melissa zeigt auf die Enten,
die im hohen Gras
kaum zu sehen sind.

„Oje!", sagt der Mann.
„Ihr seid ja tolle Hunde,
gut, dass ihr da wart!"
Das finden Melissa und Adrian
auch – und für die
vierbeinigen Helden gibt es
eine Extraportion Leckerli.

Der Elefant wird bunt

Elefant Ole betrachtet sich
von allen Seiten. „Heute
kommen Kinder in den Zoo.
Ob sie mich mögen werden?"
Pfau Karl-Heinrich mischt sich
ein. „Du bist grau, grau,
grau. Das ist langweilig!"

Ole fragt das Zebra um Rat.
„Wie bekomme ich so ein Muster
wie du? Dich mögen die Leute."
Das Zebra holt einen Farbkasten.
„Ich kann dir ein paar
schwarz-weiße Streifen
auf deinen Bauch malen."

Ein Flamingo kommt vorbei.
„Du brauchst mehr Farbe!
Mein Pink leuchtet so schön!"
Er taucht den Pinsel in
ein kräftiges Rosa und
bemalt damit den Kopf und
die Beine des Elefanten.

Doch Ole ist nicht zufrieden.
„Farbe ist gut. Aber
vielleicht noch etwas Grün
wie das Krokodil?
Oder Rot wie beim Papagei?"
So werden sein Rüssel rot
und die Ohren grün.

Auf dem Weg zurück hält Ole
am Giraffenhaus an.
„Hey! So schöne Flecken
auf dem Körper will ich auch!"
Zwei Giraffen malen ihm
ein Muster auf den Rücken.

Ole geht nach Hause und
sieht sich im Wasserbecken an.
„Ich bin jetzt
das bunteste Tier im Zoo",
freut er sich.
„So werde ich den Kindern
bestimmt gefallen."

Am Nachmittag kommt eine
Schulklasse in den Tierpark.
Die Kinder bringen Möhren mit
und laufen zum Elefantengehege.
„Was ist das für ein
komisches Tier?", fragen sie.
„Wo ist der richtige Elefant?"

Ole wedelt mit seinem Rüssel:
„Ich bin es! Ich bin hier!"
Aber die Kinder hören ihm
nicht zu. „Der frühere war
viel schöner als dieser hier.
Schade, dass er
nicht mehr da ist!"

Ole kann es nicht glauben.
Jetzt hat er sich so viel Mühe
gegeben und die Kinder finden
seine graue Haut besser?
Kann das sein?
Er nimmt Anlauf und springt
in das Wasserbecken.

Die Farbe löst sich ab und
hinterlässt bunte Flecken.
Ole klettert aus dem Wasser.
„Juhu! Er ist doch noch da!",
jubeln die Kinder. „So
wunderbar grau bist du der
schönste Elefant auf der Welt!"